STUA

a simple way

Edited by Jon Gasca
Introduction by Jesús Gasca

créditos / credits

Título / title :
Stua : a simple way
about art, design, architecture, furniture, home and life

Edición y diseño gráfico / edition and graphic design :
Jon Gasca

Primera edición / first edition : Noviembre 2002
Segunda edición / second edition : Septiembre 2003

English texts :
Eileen Maguire

Copyright :
Stua, S.A.

Web :
www.stua.com

Preimpresión e impresión :
Igara

Depósito legal :
SS 1006 / 03
ISBN 84-607-5849-4

Agradecemos su colaboración a :
We want to thank the help of :

Enclosure, Eileen Maguire
Santiago Calatrava
Alberto Campo Baeza
Joaquín Montero
Familia Chillida
Museo Chillida Leku
Ciudad de las Artes y las Ciencias de Valencia
Fundación Universidad y Empresa, Valencia
Albert Font
Vértigo, Eva Mur
Arantxa & Luis
Enrique Rioja
Martin&Zentol, Josu, Michel, Josean
Decofisur, Juan José Fernandez
Dieciseis, Genoveva
Stylecraft, Harry & Julie
Caja de Granada, La General
Kiosk, Jaques, Robert, Nathaniel
Rogier, Rogier Verhoeven
ONN, Susana, Iñaki, Julen
Dialogue38, Bennett
Gabriel Calparsoro

STUA

índice / index

STUA 6

introducción / introduction

Este libro es el reflejo de sueños, pensamientos y reflexiones que durante estos últimos años se han hecho realidad. Esta realidad es STUA, una empresa familiar, en la que hacemos muebles con la ilusión de estar aportando algo más que sólo muebles.

Son los muebles, en gran parte, los que crean nuestro entorno y con su diseño podemos influir en el ambiente que hay a nuestro alrededor. Gracias a ellos podemos lograr atmósferas más sosegadas, que nos transmiten serenidad.

En STUA nos gustan las cosas sencillas, limpias, tranquilas e intemporales, y así es la colección de mobiliario que hemos desarrollado durante los últimos años.

Pensamos que la cultura de las cosas bien hechas se debe aplicar a todo lo que nos rodea : la arquitectura, el arte, el diseño, la vida y por supuesto a los muebles.

En este libro les proponemos ideas y proyectos que nos gustan, nuestra manera de hacer muebles, el aire que se respira en las imágenes es el que a nosotros nos gusta respirar.

Les mostraremos la obra de grandes arquitectos y artístas con los que hemos tenido la oportunidad de colaborar en estos años. En especial quisiera mostrar mi agradecimiento a Santiago Calatrava, Alberto Campo Baeza, Joaquín Montero y a la familia Chillida por la colaboración que han prestado para la realización de este libro.

Mi agradecimiento asimismo a mi esposa Marina, a Jon y Elen, mis hijos, que forman parte del equipo familiar de STUA. Sin su ayuda STUA sería sólo un sueño.

Hablaremos poco, dejaremos que las imágenes hablen por nosotros.

Jesús Gasca, fundador de Stua y diseñador
San Sebastián, Noviembre 2002

This book is the product of many years of thinking and dreaming. The realisation of those dreams is a company called Stua, a family company whose aim is to create fine furniture which embodies the best quality of design.

Our daily lives are constantly affected by the environment in which we live and work. Good design can make that environment more pleasant and attractive, making our daily lives easier.

Stua's style is clean, simple and timeless. We believe that this level of quality should apply to all aspects of life: architecture, art, furniture, living in general.

In this book we would like to show you examples of collaborations with architects and artists, projects which we are very proud to have been associated with. In particular we would like to acknowledge the assistance of Santiago Calatrava, Alberto Campo Baeza, Joaquin Montero and the Chillida family in the making of this book.

My sincerest thanks to the Stua family team: my wife Marina and my children Jon and Elen. Without them the Stua dream would have remained as such.

Above all, the images to follow tell our story for us.

A simple way.

Jesús Gasca, founder and designer
San Sebastian, November 2002

la sede de stua
stua headquarter
project : Jesús Gasca

43º 17' 02 north
1º 57' 03 west

3 architects from spain

En las siguientes páginas presentamos el trabajo de tres grandes arquitectos españoles. Cada arquitecto presenta una de sus obras más recientes y significativas.

Las tres obras muestran maneras muy diferentes de entender la arquitectura. Cada arquitecto aporta una personalidad tan marcada a su trabajo, son obras tan diversas, que nos obligan a pensar que no hay una sola forma de hacer arquitectura en españa, sino que hay tantos estilos como buenos arquitectos.

Tenemos la suerte que en todos estos proyectos hayan contado con Stua y nuestros productos. Esto demuestra que nuestra colección es tan versátil como diferente es la arquitectura en la que ha sido aplicada :

Santiago Calatrava, Ciudad de las Ciencias y las Artes, Valencia.
Alberto Campo Baeza, Caja de Granada, Granada.
Joaquín Montero, Museo Chillida Leku, San Sebastián.

The following pages will feature the work of three celebrated Spanish architects. A major work by each will be discussed.

These architects differ tremendously in their style of architecture and the personal stamp of each is strongly apparent in the featured buildings. Their individuality would show that today there is no mainstream style for Spanish architecture, but as many styles as there are good architects.

We are honoured that all three buildings contain Stua products within, reflecting the fact that the Stua range is as versatile and as diverse as the architecture into which they have been placed.

The locations are as follows:

Santiago Calatrava, Ciudad de las Ciencias y las Artes, Valencia.
Alberto Campo Baeza, Caja de Granada, Granada.
Joaquín Montero, Chillida Leku Museum, San Sebastián.

Santiago Calatrava, architect

Ciudad de las Artes y las Ciencias, Valencia, Spain
Architect : Santiago Calatrava, Valencia, Spain.
Photographer : Martin & Zentol

El primero de los proyectos que mostramos es La ciudad de las Artes y las Ciencias realizada por el arquitécto Valenciano Santiago Calatrava y que se encuentra en sus últimas fases de construcción. Esta es una buena muestra de la arquitectura de Santiago Calatrava, que comenzó a ser reconocido a nivel internacional por sus espectaculares puentes.

Tras realizar prestigiosos proyectos por todo el mundo, Calatrava ha diseñado para Valencia todo un complejo compuesto por : El Palacio de las Artes, El Hemisférico, El Museo de la Ciencia Príncipe Felipe y el Oceanográfico.

La Ciudad de las Artes y las Ciencias es una apuesta que la ciudad de Valencia hace por el futuro. La respuesta del arquitecto son un conjunto de edificios singulares, obras cuyos desafios técnicos nos hace sentir el vértigo de lo que a nuestros ojos les queda por ver.

Stua ha tenido la suerte de poder suministrar mobiliario para dos de las etapas del conjunto. La primera zona de la CAC es el Hemisferic, el planetario y sala de proyecciones en 3D. Esta es la sala hemisférica más espectacular del mundo, y llegar a ella ya nos hace sentir en un tiempo futuro. Nunca una experiencia arquitectonica se ha parecido tanto a un viaje en el tiempo. El Hemisférico tiene una marcada forma de ojo y es tal el parecido que las cubiertas son móviles como los párpados de un ojo. Todo un desafío para nuestros sentidos. Tal vez por eso la silla elegida para la zona de café es la silla Globus.

The first of the major architectural projects under discussion is the City of Arts and Sciences of Valencia, Spain, a major work by Calatrava. This is a very ambitious project and the construction work has been ongoing for many years. At this point, the site is in the last stages of construction.

With many prestigious architectural projects in locations all over the world, Calatrava has now designed for his hometown of Valencia, a complex which includes: The Arts Palace, The Hemispheric 3D Cinema Theatre, The Principe Felipe Museum of Sciences and the Oceanographic Museum.

The design of these buildings embodies the essence of Calatrava and the spectacular engineering feats of his architecture.

The Arts and Science City is a vast design proposal by the city of Valencia as a monument to the future. The response of the architect is a collection of buildings with such technical and futuristic brilliance that they make us feel that we can see what the future may bring.

Stua has been selected to provide furniture for two areas of the buildings. Shown here are the Globus chairs which are being used in the Planetarium building, probably the most beautiful spherical 3D cinema screen in the world. Never has an architectural experience so closely felt like a journey into outer space! The hemisphere takes the form of a human eye, and the motif is made all the more tangible by the fact that the building has some glass screens which move and behave in the manner of an eyelid. An incredible experience for the senses.

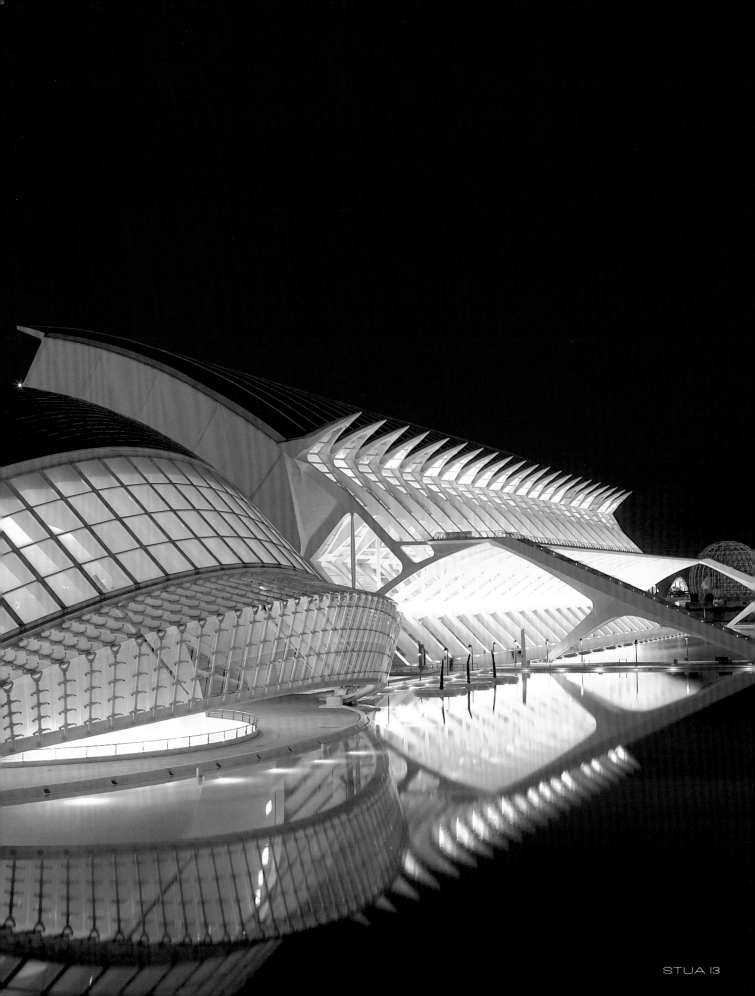

STUA 15

STUA 16

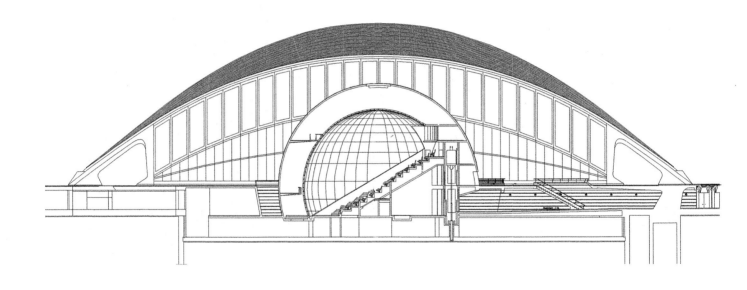

STUA 17

STUA 18

STUA 19

STUA 22

STUA 28

Alberto Campo Baeza, architect

Caja de Granada, Granada
Architect : Alberto Campo Baeza, Cádiz, Spain
Furniture provider : Decofisur, Granada
Photographer : Martin & Zentol, Hisao Suzuki

La arquitectura de Campo Baeza es esencial y personal. Sus obras son sencillas y reconocibles, tienen siempre la calidad de su trabajo. Una de las últimas obras que ha completado es la sede central de la Caja de Granada. Se trata de una obra rotunda y fuerte, que marca el paisaje de una ciudad que ya cuenta en la Alhambra con una de las obras cumbres de la historia de la arquitectura.

Esta obra, cuya parte principal es un bloque compacto de hormigón, deja pasar la luz con una calidad que nos hace recordar el espacio y la luz de las mejores catedrales. Hormigón, travertino y alabastro son los nobles materiales que se dejan bañar por lo que el Campo Baeza denomina como "impluvium de luz".

Stua ha provisto de las sillas Gas para alguna de las áreas del edificio, sillas que como el edificio, son intemporales.

The architecture of Campo Baeza is fundamental and personal. His works are recognisable for their deceptive simplicity, the purity and quality of his work is always evident. One of his most recent projects is the headquarters of Granada Bank, in Granada, Spain. It has become a salient motif on the Granada skyline, a city which has another building of major historical significance, the Alhambra.

The building's central core is a compact concrete block, and light pierces the space in a manner similar to the ancient cathedrals, filtering down from the highest points. Concrete, travertine and alabaster are the most noble of materials when bathed in 'the warmth of natural light', as Campo Baeza says.

Gas chair, as timeless and pure form as the building they grace, can be found within.

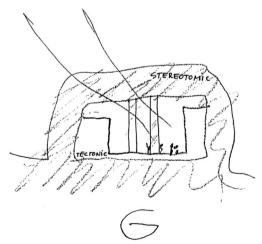

STEREOTOMIC

TECTONIC

G

HEADQUARTERS
BANK
IN
GRANADA -SPAIN
1992
Competition august 92
Winner

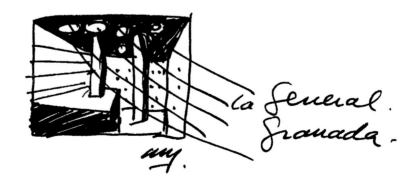

la General.
Granada.

STUA 36

STUA 40

STUA 41

STUA 42

STUA 43

Eduardo Chillida, sculptor
Joaquin Montero, architect

Chillida-Leku Museum, San Sebastián
Architect : Joaquin Montero & scultor Eduardo Chillida
Location : Hernani, San Sebastián, Spain
Photographer : Martin y Zentol, Iñigo Santiago, Giulliano Mezzacasa

Eduardo Chillida es escultor y Chillida-Leku para la gente de San Sebastián, como lo somos nosotros, es un sitio especial. Es un lugar que hay que describir desde el corazón. Eduardo Chillida es un escultor singular, una persona especial, el fruto de la tierra donde ha vivido. Chillida tiene una calidad humana que transciede a su propia obra, pero que inevitablemente se refleja en todo lo que ha hecho.

Chillida Leku, es el museo donde se reúne la obra de Chillida. Su obra viene de la vida y de la tierra, está enraizada como pocas. Es por eso que la tierra de Chillida Leku es el mejor espacio para entender su obra, su personalidad y el carácter abierto de su tolerancia.

El arquitecto Joaquín Montero ha trabajado a lo largo de más de 14 años con Chillida para crear un entorno sobrio y mágico en el que las obras de Chillida parezca que hayan nacido alli. Trabajar a lo largo de 14 años es, hoy día, un plazo muy largo. Pero de acuerdo con la personalidad de Chillida, las cosas sólo hay que hacerlas bien. Resulta sorprendente saber que para la reconstrucción del antiguo caserío de Zabalaga, eran necesarias ciertas vigas de madera, y que Chillida y Joaquín Montero estuvieron esperando durante años a que esas columnas de la forma y tamaño necesario aparecieran en los bosques de Navarra. El resultado de este trabajo se puede ver en cada detalle del museo.

Ahora todos podemos visitar el que ha sido el almacén de sus obras durante años, el lugar donde Chillida dejaba reposar sus esculturas de hierro para que tomaran la patina que el paso del tiempo debe dejar en ellas. Obras que nos hablan del espacio y de nosotros mismos, obras que hay que sentir para apreciar.

En Stua hemos tenido la inmensa suerte de que todo el mobiliario que se ha instalado sea nuestro. Que nuestros muebles convivan con las obras de Chillida es un honor que sólo sabemos agradecer mostrando la calidad de la obra que Chillida ha dejado para nosotros.

Eduardo Chillida falleció en agosto de 2002, mientras completabamos este libro. Desde aquí le rendimos homenaje.

Eduardo Chillida was a sculptor of San Sebastian and the museum of Chillida-Leku is now a very special place. It is a place to be discovered from the heart. Chillida was a unique personality and a singular artist.

Chillida-Leku is the museum which now houses most of the artist's oeuvre.

His works came from life and are deeply rooted to hearth. For this reason the museum is the most appropriate place in which to understand him and his works; the openness of his mind, and the depth of his character.

The architect Joaquín Montero worked for over fourteen years with Chillida to create the sober and magical surroundings where the works are located, works which seem to have always been there. Fourteen years is a tremendously long time on such a project, but the time span reflects the personality of the man and his way of doing things. In order to re-build the old Zabalaga house, Montero and Chillida waited for years to get beams from the forests of Navarra so that the sizes and shapes that they needed would be correct. Every aspect of the museum reflects this extraordinary attention to detail.

It is also possible to visit the warehouse where he stored sculptures which were works in progress. In this space the raw metals took on a patina of time and exposure, and absorbed the essence of him. Works which reflect life and humanity and which have to be experienced to appreciate.

Stua are honoured to have provided furniture for this museum. The fact that our furniture is living in the same space as the works of Chillida is a source of great pride. Our respect for the man as an artist is exemplified in the images to follow which show the quality of his work, left for all to enjoy.

Eduardo Chillida died in August of 2002, whilst this book was being completed.

STUA 47

STUA 50

LEKU

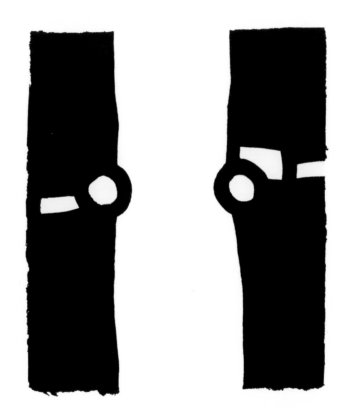

STUA 56

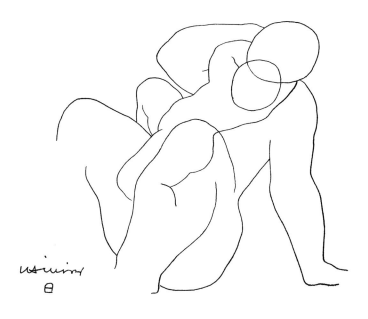

STUA 62

STUA 64

STUA 65

STUA 67

STUA 70

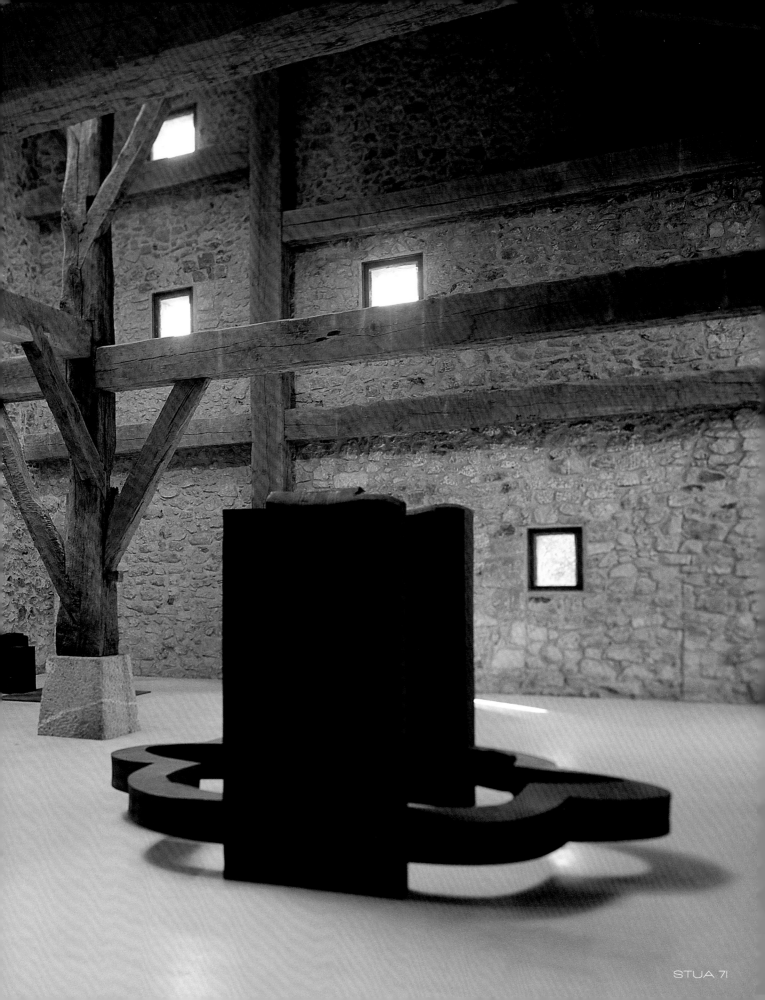

STUA 71

STUA 72

projects worldwide

En las próximas páginas se muestran diferentes proyectos, realizados a lo largo del mundo. Esta es una de las virtudes del diseño contemporáneo . Se trata de un idioma internacional que se puede interpretar con la personalidad de cada lugar donde se aplica. Lográndose resultados diferentes y enriquecedores.

Projects from around the world are featured on the following pages. The contemporary design of Stua is the linking theme in all. Contemporary design is an international language with a local interpretation in each place, resulting in diverse and rich interior spaces.

Macau tower convention & entertaiment centre

Architect : Gordon Moller of CCMBECA, New Zealand
Styling : Rogier Concepts, Maastricht, Holland.
Furniture provider : Rogier Living Art Giving, Maastricht
Photographer : George Mitchell.

El décimo edificio independiente más alto del mundo, completado el año 2002. La torre tiene 338m en su punto más alto. La plataforma de observación principal está a 223m sobre el nivel del suelo. Desde la plataforma de observación más alta se puede ver a 55km de distancia. La torre está diseñada para soportar vientos de hasta 400 km/h. La torre cuenta con más de 1500 sillas Gas. Las sillas están tapizadas en la tela Glove de Kvadrat.

This is the 10th tallest free-standing building in the world. The tower is 338 m. at its highest point with the main observation level 223m above ground. It is possible to see for 55 km from the highest viewing deck. The tower can withstand winds of up to 400km/h.

The interior features over 1,500 Stua Gas chairs, all upholstered in Kvadrat Glove microfibre.

STUA 78

Riz asian bistro, Toronto

Architect / Interior Designer:
Firm Name: Dialogue38
Designer Name: Bennett C. Lo
Furniture provider : Kiosk, Toronto, Canada
Photographer: Lee Ka-Sing

Pequeño restaurante situado en el norte de Toronto,Canada. El Riz ofrece un entorno tranquilo para una comida asiática. Fria luz blanca surge de las paredes con paneles, mientras los suelos de bambú y el tono del marmol impregnan el local de serenidad.

Situated in a fashionable north Toronto neighbourhood, Riz offers a cool, contemporary environment for sipping wine and snacking on upscale pan-Asian fare. Frosty white light glows from behind white panelled walls, while blonde bamboo floors, marble accents and soft hues all contribute to a feeling of quiet serenity.

STUA 82

STUA 83

Leopardstown racecourse, Dublin

Fitzers Pavillion, Leopardstown Racecourse, Dublin, Ireland
Architects : Cantrell & Crowley
Furniture provider : Enclosure, Dublin

Más de 1.000 sillas Globus se utilizan en los comedores del Hipódromo de Leopardstown en Dublín. Los arquitectos eligieron la silla Globus en su versión con respaldo de madera de haya y asiento tapizado con tela de Kvadrat. Tanto la tela como el foam interior son ignífugos.

Up to 1,000 Globus chairs are in use every weekend in the Fitzers Pavillion at Leopardstown Racecourse, Dublin.

The architects selected Globus with a beech wood back and Kvadrat fabric upholstered seat.

STUA 85

university in Valencia

Fundació Universitat Empresa, Universidad de Valencia.
Architect : Carlos Bento
Furniture provider : Mobisa + Alfaro Hoffman
Photographer : Martín y Zentol.

Una de las singularidades de esta universidad es el entorno tan especial en el que se encuetra situada : el casco antiguo de Valencia. Es enriquecedor el contraste entre unos interiores contemporáneos abiertos al rosetón de la iglesia que se encuentra frente a la Universidad. Las aulas y oficinas cuentan con varios centenares de sillas Gas en su versión de polipropileno azul, y también como estantería se utilizó el sistema Sapporo.

The windows of this university look out onto the old church in Valencia, beautifully juxtaposing the ancient and the new. The old stones of the church have a rich and solid warmth, and students can see them whilst sitting on Gas chairs in the contemporary interior of the university building. The building features Gas chairs in a blue polypropylene seat & back, with the Sapporo storage system in use also.

stone sounds

Evento nocturno, night event.
Location : Astigarraga
Photographer : Martín y Zentol.

Los sonidos de la piedra. La última luz del día apenas ilumina las humedas piedras , los cantos rodados, que parecen salir de la niebla. Un sitio donde esperar, donde dejar pasar los minutos, donde escuchar el silencio con calma, con la agradable sensación de perder el tiempo.

No se trata de hacer más, ni solo mejor, sino de hacerlo a tu manera.

Silence holds time still as cloud shadow moves over stone, light and shade move in tandem like peaceful breathing.

Thoughts drift as dappled, shifting light reflected on solid stone, memories focus and then fade.

STUA 94

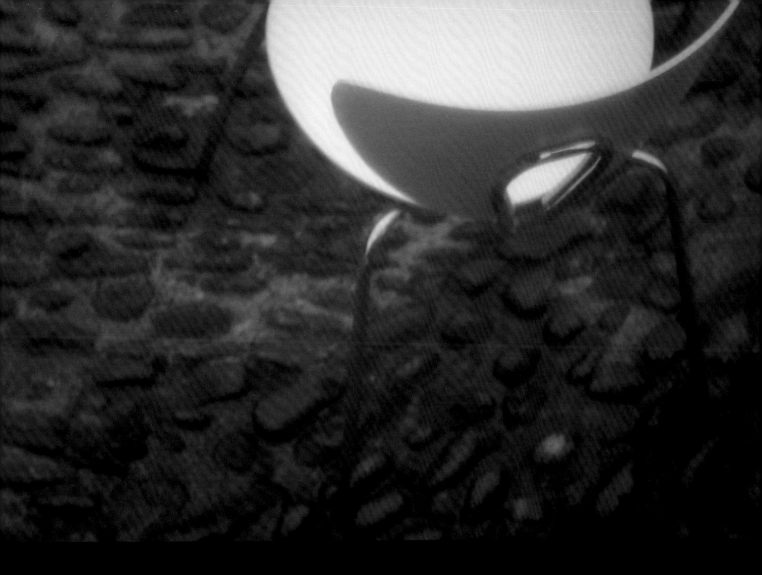

Fresh ketch restaurant, Sydney

Fresh Ketch restaurant, Mosman, Sydney
Architect : McConnell Raynor
Furniture provider : Stylecraft, Sydney and melbourne, Australia
Photographer : Russell Pell

Este restaurante está en uno de los lugares más hermosos del mundo, la bahía de Sydney. Basta con ver las vistas desde el restaurante para que la experiencia de la comida sea ya excepcional.
Desde STUA hemos puesto las sillas Gas, para que ya todo sea perfecto.

This restaurant looks out onto one of the most beautiful bays in the world, Sydney Harbour, Australia.

The view alone makes for a spectacular culinary experience, which is further enhanced by the comfort and elegance of the Stua Gas chair.

Onn show-room, Bilbao

ONN show room, Erandio, Bilbao, Spain
Architecture : ONN diseño interior team
Styling : Susana
Photographer : Martín y Zentol

ONN es una tienda de Bilbao. Es una tienda con una historia bastante breve en el tiempo, ya que hace pocos años que se fundó. Pero su trayectoria es la de una gente cuyo interés es hacer bien las cosas. El espacio que mostramos ahora es la de su sede central. Un showroom con amplias ventanas abiertas sobre la desembocadura del rio Nervión, el mismo que unos metros más arriba tiene a su frente el nuevo museo Guggenheim.

Recientemente ONN ha realizado una exposición de los productos de Stua, en la que ha mostrado toda la colección, haciendo especial incapie en la pieza que ha sido la más importante aportación de Stua en los últimos años al mundo del diseño : la silla Gas del fundador de Stua Jesús Gasca.

A lo largo de los 4 pisos de la tienda se han mostrado diversos ambientes realizados exclusivamente con productos de Stua, lo que da una idea de la versatilidad de la colección.

ONN is a furniture showroom in Bilbao, a cleverly designed, beautiful, furniture store. The interior and exterior spaces are the work of the young design team who wanted to make all aspects of the building attractive. The store is also the head office of their design studio. The huge windows of the showroom look out onto the Nervion River, the same river which passes the new Guggenheim Museum a few metres upstream.

Recently, ONN featured the Stua collection exclusively throughout their showroom. This Stua 'celebration' had a twofold objective: to acknowledge the versatility of the entire Stua range; and in particular; to honour and recognise Stua's latest design, the Gas chair by Mr. Jesús Gasca who founded Stua.

Different themes using the collection were featured on all floors of the store, and the different atmospheres created, highlighted the variety possible with the pieces of furniture.

STUA 99

STUA 100

STUA 102

STUA 107

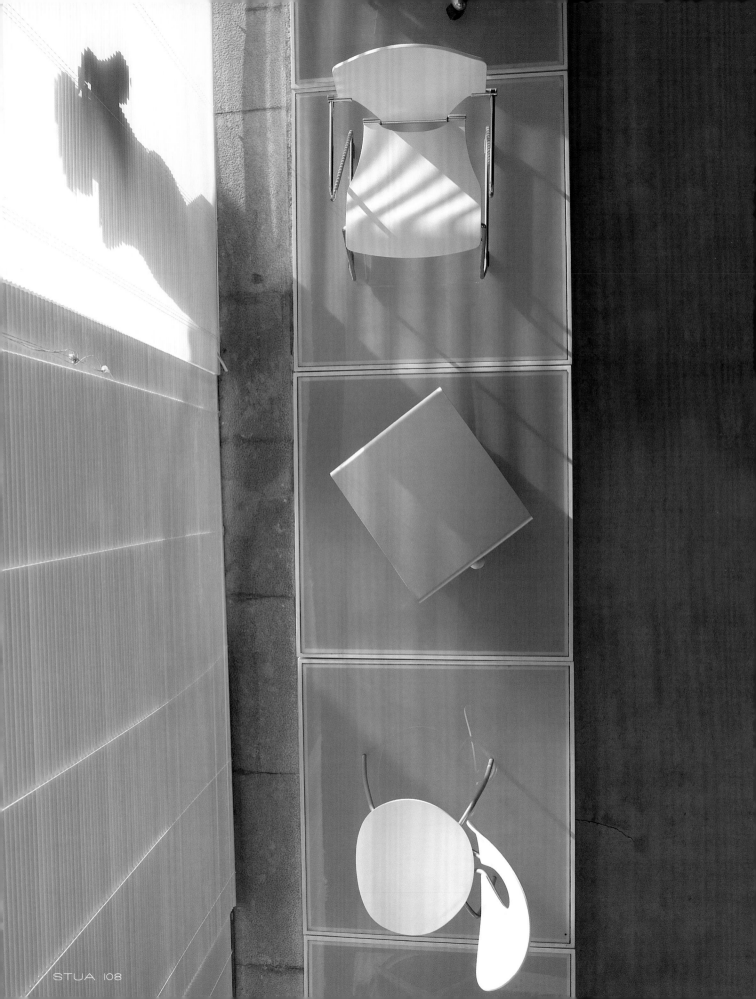

STUA 108

Spring Rolls, Toronto

Architect / Interior Designer Firm Name: Dialogue38
Designer Name: Bennett C. Lo and Raul Delgado
Furniture provider : Kiosk, Toronto, Canada
Photographer: Lee Ka-Sing

Situado en el barrio de St.Lawrence al sur de Toronto, en Canada, este restaurante tiene el significativo nombre de Rollitos de Primavera. En este cuidado restaurante se han dispuesto sillas Globus para los comensales en un entorno completamente contemporáneo.

'Spring Rolls' is a 200-seat pan-Asian restaurant located in the historic St. Lawrence Market district of downtown Toronto. With a mixture of eastern and western sensibilities, the restaurant's understated elegance complements a menu of Thai, Vietnamese and Chinese cuisine with a distinct contemporary flair.

STUA III

STUA 112

home sweet stua homes

La casa es nuestro ámbito más privado, el lugar donde nos reco-gemos cada día. Por eso en STUA nos gustan mucho las casas. Intentamos hacer muebles para que nuestras propias casas resul-ten más bonitas y sobre todo más comodas.

Cada pieza de STUA ha sido diseñada para ser aplicada en casa. Pero con la robustez y las técnicas de los muebles del mundo de la instalación. Es por eso que los muebles de STUA se benefician de un diseño más dulce y una realización robusta.

Les mostramos a continuación diferentes hogares en los que los muebles de STUA son protagonistas. Y como dice uno de los propietarios, atmósferas como las que respiran estas casas ayudan a tener una vida más feliz. Que es de lo que se trata al fin y al cabo.

Our home is our most private space, where we relax at the end of the day. At Stua we place great emphasis on the home. Our aim is to create furniture which makes homes more beautiful to experience and more comfortable to live in.

The entire Stua collection is designed to be used in the home. However, the production processes of the furniture reflect the demands of contract use. For this reason the Stua collection embodies superb design with the durability of contract furniture.

The following interiors show the Stua range in a variety of home environments. These beautiful spaces and the furnishings within give pleasure and comfort to those who live in them, Stua's fundamental aspiration.

STUA 115

high contrast

Interior designer : Jon Gasca
Location : San Sebastián
Photographer : Martín y Zentol.

Una antigua casa, con sus paredes de piedra y su suelo de madera sirve de marco excepcional y como contraste para los muebles de STUA. El color blanco del mueble Sapporo con sus puertas rojas, contrasta con la aspereza de esa pared.

La casa también cuenta con una butaca Malena y unas sillas Gas entorno a una mesa Zero.

An old house with an old stone wall provides a striking canvas against which are placed elements of the Stua collection. The smooth, regular lines of the Sapporo range contrast with the rough hewn wall, and the red sliding doors add a splash of colour.

The house also includes a Malena armchair, and brown leather Gas chairs ranged around a Zero table.

STUA 117

STUA 119

old city loft

Private house
Location : San Sebastián.
Interior design : Iñigo Axpe
Photographer : Martín y Zentol

Esta es una casa en el casco antiguo de la ciudad. El salón está articulado entorno a un gran sofá en ángulo recto que se complementa con dos butacas Malena. Se ha prescindido de la mesa de centro y se ha optado por una mesas auxiliares Summa.

El comedor es de clara inspiración escandinava y está compuesto por la mesa Milano con sillas Egoa con brazos de madera. En la cocina hay un pequeño comedor con una mesa Zero con sobre blanco y sillas Globus en tono wenge.

This house is in the old quarter of the city. The living room has one very long sofa, opposite which sit two Malena armchairs in dark wenge finish. They do not have a permanent position there, but are moved around the space according to the mood of the owner. The space between has been left without a coffee table, just two Summa tables on either side of the sofa.

The dining room has a flavour of Scandinavia, with a large Milano table and Egoa dining chairs in beech wood. The frosted glass of the table top reflects the frosted finish of the sliding door which connects the rooms.

STUA 122

parallel house

Private house
Architect : Oriol Tintore TMA Arquitectura, Barcelona
Photographer : Joan Mundo
Estilista : Mar Requena

La hemos llamado la casa paralela por la enorme fuerza expresiva que las líneas paralelas tienen en este proyecto. Sobre todo destacan los cerramientos exteriores, realizados con listones de madera paralelos, que aportan al interior las luces y sombras del exterior. Es, sin duda, la butaca Malena con sus lamas de madera maciza en el respaldo, la que mejor armoniza con la arquitectura de la casa. Como mesa de centro se optó por una Deneb por su fina estructura de aluminio.

We have called this house 'The Parallel House' due to its striking external lines. Within, the parallel lines of the Malena armchair reflect the linear structure of the building, and a Deneb coffee table with its slim aluminium frame sits in front of the Malena chairs.

STUA 130

aluminium, white & red

Private house
Interior architect : Enrique Rioja
Photographer : Albert Font & Martín y Zentol

El blanco niveo de esta casa es un lienzo que nos permite que cada pequeño detalle de color se muestre con toda su energía. Pocas casas pueden cambiar de aspecto tan profundamente como ésta, donde solo una pocas notas de color son capaces de marcar el carácter de la decoración. En este momento se ha optado por que los detalles sean rojos, pero bien podríamos tener ambientes diferentes con otros colores.

Los dueños de esta casa, son jovenes y amantes de los muebles de Stua. Así la mesa del comedor es la Deneb, junto con unas sillas Gas que se van repitiendo en otras estancias de la casa. Como biblioteca han optado por el sistema Sapporo. Como mueble auxiliar del baño tienen un Atlas. Y finalmente la pieza fundamental de la casa, unas butacas Malena, con estructura lacada en color blanco y cuya tapicería cambia de color según el ánimo de los dueños, tienen aparte de la fundas rojas, otras de color naranja y otras de color violeta.

The pristine whiteness of this house is the perfect canvas against which to demonstrate the impact of coloured elements. With a few changes of colour this house can change character completely. Not all of the details must have red tones, other colours can have the same dramatic effect.

The owners are young, and big fans of the Stua range. Their choice of dining table is Deneb with Gas chairs ranged around it, and other Gas chairs throughout the house. Sapporo fulfills their storage requirements with red and frosted glass doors. An Atlas unit graces the bathroom and, the main statement of the interior: Malena armchairs in a white lacquered frame with red upholstery! In fact, the owners have two additional sets of upholstery for the chairs, one in orange and another in purple. The upholstery gets changed according to mood!

STUA 136

STUA 140

STUA 142

STUA 144

one space living

Private house
Interior architect : Jon Gasca
Photographer : Martín y Zentol

Cuando hablamos de un sólo espacio, estamos hablando de apartamentos donde se ha optado por eliminar los tabiques que separan los ambientes y por tener un único espacio lo más versátil posible. En el apartamento que presentamos se transmite una imagen de tranquilidad y comodidad, el espacio parece fluir, los muebles respiran en un ambiente luminoso y transparente.

Un sobrio contenedor Atlas de aluminio hace las veces de mesilla, en un dormitorio en el que se divisa todo el salón en el piso inferior. El tabique de vidrio proporciona la separación entre ambientes, sin que por ello se pierda amplitud. Junto al dormitorio se ha dispuesto un pequeño despacho, con una mesa Milano con estructura de haya, una silla Egoa giratoria, un book Atlas. En el sistema Sapporo se archivan todos los papeles.

The concept of 'one space living' is a contemporary and pragmatic response to the ever increasing lack of space in large, modern cities. Transforming the apartment into a single, open space lends a very relaxed atmosphere. This is enhanced by the flexibility of the space and an overall welcoming ambience.

In the bedroom area an aluminium Atlas cabinet doubles as a dressing table. A glass partition wall divides the upper and lower floors whilst allowing visual communication between both spaces.

Upstairs beside the bedroom there is a home office with a computer. The table is Milano in beech wood and the chair an Egoa on castors in the same finish. On one side the Atlas cabinet gives balance to the composition and provides storage and the Sapporo system provides additional capacity to store paperwork.

STUA 148

STUA 150

so calm

Private house
Interior architect : Enrique Rioja
Photographer : Albert Font

Diríamos que esta es una casa tradicional, tiene sus suelos de madera y sus habitaciones con las funciones que tradicionalmente se les suelen dar. Sin embargo, cuando uno entra en ella nota una sensación de paz y tranquilidad que no son fáciles de encontrar. Tal vez esa calma venga del rumor y del ritmo pausado del oleaje que se divisa desde la ventana. Pero, sin duda, los colores y los muebles que componen el ambiente también son culpables de esta serenidad.

En esta casa gran parte de la colección de Stua está presente, incluida la última de las piezas que se ha incorporado : el sofá Malena. Su utilización es muy acertada ya que el sofá se utiliza para diferenciar la zona de comedor de la zona de estar, con lo cual la parte trasera se puede apreciar completamente. Este suele ser uno de los puntos débiles de los sofás normalmente. Sin embargo en Malena, este es su punto fuerte: la belleza de su respaldo.

On the face of it this apartment is quite a traditional space, with wooden floors and regularly laid out rooms. However, on entering this space one feels a tranquillity and calm which is rare to experience. It may be that the sea can be heard in the background and viewed from the window. The furniture and colours add enormously to the overall sense of serenity.

This apartment has most of the Stua furniture collection. It includes our newest addition to the range; the Malena sofa. The use of this sofa is especially appropriate here as it acts as a room divider between the dining and living room areas. As a result the rear of the Malena can be seen, and unlike most sofas, it is the most beautiful side of the piece, the rhythm of the wooden slats makes a wonderful composition.

STUA 156

STUA 160

SUSANA SOLANO MUECAS

STUA 164

STUA 165

stua goes outdoor

Architecture : Jose Gorritxo
Landscape : Camille Müller
Photographer : Martín & Zentol.

Por primera vez los muebles de Stua se hacen para el espacio exterior: el nuevo sistema Deneb se compone de un banco y una mesa ideados para soportar las inclemencias climáticas. Esto es posible gracias a la nobleza de los materiales que lo componen: estructura de aluminio anodizado y sobre de madera de Iroko.

Tenemos la oportunidad de mostrar esta nueva mesa y banco en un entorno excepcional : un jardin privado con diseño del paisajista francés Camille Müller.

In these images we have the chance to display for the first time outdoor Stua furniture. Deneb is a short collection of a bench and a table with the same timeless design. Both are made from an aluminium frame base and Iroko wood top.

The Deneb bench and table are displayed in an extraordinary private garden by the french landscape designer Camille Müller.

STUA 170

la colección

Les proponemos ahora un repaso por toda la colección de
Stua. Mostraremos las diferentes opciones de los muebles y
sus características técnicas. Esta es la colección de STUA :

silla egoa
silla globus
silla gas
butaca malena
sofá malena
mesa deneb
mesa zero
mesa milano
mesa summa
contenedor atlas
sistema sapporo
sistema deneb de exterior

We invite you to view the entire Stua collection. To follow are
images of all of the different finishes and their technical details.
This is the STUA collection :

egoa chair
globus chair
gas chair
malena armchair
malena sofa
deneb table
zero table
milano table
summa table
atlas
sapporo
outdoor deneb system

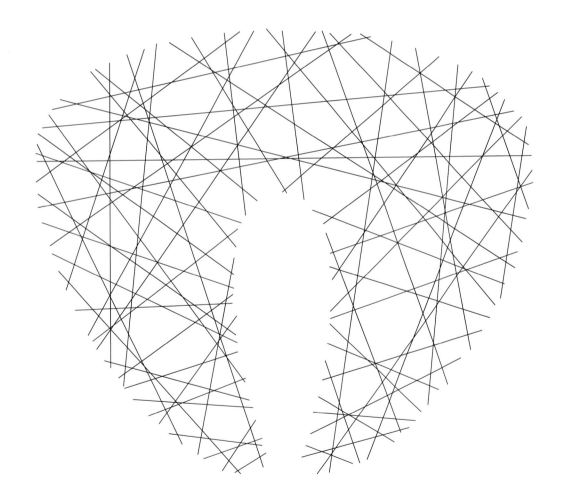

chair	egoa
designer	josep mora
year	1988

Un clásico del diseño de los últimos tiempos.
La silla Egoa tiene una comodidad
extraordinaria, pues el asiento y el respaldo
están ingeniosamente articulados, por lo que el
respaldo se adapta a la posición de la espalda,
acompañando nuestro movimiento e invitán-
donos a una posición de sentado dinámica.
Para conocerla es necesario sentarse en ella.

La estructura es de acero cromado, asiento
tapizado en tela o piel y las versiones en
diferentes maderas, como el cerezo natural, el
haya, el fresno, wenge, etc. Existe la versión
con ruedas que se pueden elegir con diferentes
durezas según el suelo sobre el que se vaya a
utilizar la silla.
La silla Egoa tiene el certificado GS del instituto
alemán Tüv Rheinland.

Selección Delta Adi-Fad 1988
Innovate Design Melbourne award 1988

STUA 176

It is essential to sit on the Egoa to experience how wonderfully comfortable it is. The seat and the backrest are ingeniously hinged, and the chair adapts to differing body weights and sizes, inviting users to adopt a dynamic sitting posture and allowing free range of movement; offering exceptional comfort. It is in production for more than 12 years now, and is already a contemporary design classic.

The frame is made of chromed steel, and the seat and back are available in a variety of woods, upholsteries and leather. Wheeled version is also available.

The Egoa chair has been granted the GS quality certificate by the german intitute TüV Rheinland.

Selección Delta Adi-Fad 1988
Innovate Design Melbourne award 1988

Ein außerordentlich bequemer Stuhl und Design-Klassiker der letzten Zeit. Die Lehne paßt sich der Rückenposition an und folgt den Körperbewegungen, wodurch eine dynamische Ergonomie erzielt wird. Um seinen Komfort zu beurteilen, muß man darauf sitzen.

Verchromte Stahlstruktur , Sitz und Rücken mit hochwertigem Stoff oder Leder bezogen oder in großer Holzauswahl. Zusätzlich ist Egoa als Bürostuhl auf Rollen lieferbar.

Qualitätsgütesiegel: GS des deutschen TüV Rheinland Institut.

Un classique du design de ces dernières années, une chaise d'un confort exceptionnel puisque le dossier s'adapte à la position du dos, accompagnant nos mouvements. On obtient ainsi une ergonomie dynamique. Pour l'apprécier il faut l'essayer.

Structure en acier chromé, siège tapissé on tissu ou cuir ou dans une grande variété de bois. Existe également en version sur roulettes.

Certificat de qualité GS de TüV Rheinland.

Selección Adi-Fad 1.988
Selección SIDI 1987-1988-1993
Prize Innovate Design Melbourne 1988

chair   egoa on castors
designer   josep mora
year   1989

La silla Egoa con ruedas tiene siempre brazos metálicos, y opcionalmente puede tener brazos de madera maciza o de plástico inyectado.

Esta versión de la silla tiene un ligero movimiento, pero no es tan grande como el de la silla fija, ya que se trata de una silla de trabajo.

La versión sobre ruedas de la silla Egoa tiene las siguientes particularidades :

La silla gira sobre su eje y la altura es regulable. La ruedas tienen autofreno como medida de seguridad, esto significa que la silla está fija cuando no hay nadie sentado y tiene movimiento libre cuando el usuario esta sentado.

Las ruedas pueden ser tanto duras para suelos como la moqueta, o ruedas blandas para suelos más delicados como la madera.

La silla Egoa de ruedas tiene el certificado GS del instituto alemán Tüv Rheinland.

The chromed metal armrests of the Egoa chair can have wood or polypropylene arm-trims added for additional comfort.

On castors Egoa does not have the reclining 'swing' mechanism which is such a distinctive feature of the fixed frame version. Egoa on castors is a task chair as opposed to an easy chair.

The version on castors has a swivel mechanism and a gas lift for height adjustment. When not in use the castors have a braking mechanism, and this means that the chair does not move away as the user sits into it. Once seated the user has full freedom of movement.

The castors can be of two types, hard castors for use on carpet, and soft castors for use on wooden floors.

Gas chair on castors has also the GS certificate of Tüv Rheinland.

chair	globus
designer	jesús gasca
year	1994

STUA 182

Globus es una silla ligera y acogedora. Las curvas del respaldo recogen la espalda proporcionando un confort envolvente. Sus originales formas hacen que esta silla sea fresca y ligera. Su expresiva forma, casi voluptuosa tanto en la estructura como en el asiento y respaldo, están engarzadas con suavidad, para crear unas formas que se muestran perfectamente acabadas desde cualquier ángulo.

Estructura de tubo de acero, asiento y respaldo de madera de haya, arce, cerezo, wenge, o plástico de colores.

Existe la opción de que el asiento sea tapizado. La silla es siempre apilable hasta 6 unidades.

Globus is a light stackable chair of refreshingly original design. The curvature of seat and backrest combine to offer an exceptionally comfortable seating position. The expressive even voluptuous lines of the frame, seat and back are beautifully crafted and smoothly integrated to create a piece that looks perfectly finished from every angle.

The chromed steel frame is very well finished with no crimping visible along its curves and even fittings show attention to detail and quality.

Seat and backrest are made of different natural woods like maple, ash, cherry or beech, and also wenge colour, or plastic in some different colours. The seat can also be upholstered. Stackable up to 6 units.

Globus ist ein leichter, zierlicher Stuhl in origineller Form und ansprechenden Linien. Die Kurven von Sitzschale und Rückenlehne umfangen den darauf Sitzenden angenehm und bieten dadurch einen besonderen Sitzkomfort.

Der Stuhl besteht aus einer Stahlrohrkonstruktion, er ist stapelbar; Sitz und Rückenlehne aus Kirschbaum, Ahorn Buche oder Buche wengefarben, Sitzschale auch gepolstert möglich.

Globus est une chaise légère aux lignes acueillantes. les curves du siège et du dossier procurent à l'usager une enveloppante sensation de confort. Ses formes originales lui donnent une apparence de fraicheur et de légèrete.

Structure en tube d'acier et siège et dossier en contraplaqué moulé avec placage merisier, erable, hêtre ou finition wengé. En option lássise peut être tapissée, toujours empilable.

chair   gas
designer   jesús gasca
year   2000

En stua hemos pensado en el futuro y hemos soñado una silla ligera y fluída como un gas.

En esta silla cada curva, cada borde y cada unión están hechas con una exquisita atención al detalle.

La estructura de la silla es de aluminio brillado, el asiento y el respaldo son bien de una red sintética, de plástico o tapizada (en tela o piel).

La silla Gas opcionalmente puede tener brazos de aluminio brillado y es apilable en ambos casos. Los tacos para el suelo son de color aluminio y la tornillería de acero inoxidable. Es una silla de interior.

IF silver design award, Hannover
Premio al diseño Red Dot 2001, Essen
BoBedre silla más intemporal, Copenhagen
Selección Delta Adi-Fad 2001, Barcelona

At Stua we have been dreaming about the future and we envisage a chair with fluid lines as light as gas.

Every joint, edge and curve is resolved with uncompromising attention to detail.

The frame is of highly polished aluminium, the seat and back can be finished with synthetic mesh, plastic or upholstery (fabric or leather).

Gas can have aluminium armrests and is stackable both with arms and without. Gliders are in aluminium colour and all the screws are of stainless steel. The Gas chair is for indoor use.

IF design award 2002, Hannover
Red Dot design award 2001, Essen
BoBedre timeless chair, Copenhagen
Selected Delta Adi-Fad 2001, Barcelona

Der neue Stuhl ist für die Zukunft erdacht und produziert worden, ein Sitzmöbel in fließender Linie und leicht wie Gas.

Das Gestell besteht aus hochglanz-poliertem Aluminium, Sitz und Rückenlehne sind aus Synthetik-Netz, Kunststoff oder in gepolsterter Ausführung (Stoff oder Leder).

GAS kann mit Aluminium-Armlehnen geliefert werden, in allen Ausführungen ist der Stuhl stapelbar.

IF design award 2002, Hannover
Red Dot design award 2001, Essen
BoBedre timeless chair, Copenhagen
Selected Delta Adi-Fad 2001, Barcelona

Chez Stua nous avons pensé au futur et avons rêvé d'une chaise légère et fluide comme un gaz.

La structure est en aluminium poli et l'assise et le dossier peuvent se faire en 3 versions: en filet synthétique, en plastique ou tapissés (tissu ou cuir).

Gas peut avoir en option des accoudoirs en aluminium. Dans tous les cas elle est empilable. Les pieds sont couleur aluminium.

IF design award 2002, Hannover
Red Dot design award 2001, Essen
BoBedre timeless chair, Copenhagen
Selected Delta Adi-Fad 2001, Barcelona

chair	gas with arms
designer	jesús gasca
year	2000

chair   gas with mesh
designer   jesús gasca
year   2000

STUA 189

armchair   malena
designer   jon gasca
year   1997

Malena es una butaca de líneas sencillas y
acogedoras. La estructura de la butaca es de
madera maciza de haya y el asiento y respaldo
son totalmente desenfundables.

Malena tiene patas de aluminio y ruedas
delanteras. Su anchura permite que pase por las
puertas.

La estructura es siempre de haya maciza
acabada en natural, cerezo o wenge. Puede ser
tapizada en tela o piel.

Selección Delta Adi-Fad 1999

Simplicity and comfort characterise the Malena armchair. The frame is made of solid beech, with completely removable seat and back covers.

Malena has aluminium legs with castors at the front.

The frame of the armchair is of beech available in cherry or wenge stained finish. It can be uphostered in fabric or leather.

Selected Delta Adi-Fad 1999

Malena ist ein Sessel mit einfachen, gemütlichen Linien. Seine Struktur besteht aus massivem Buchenholz.

Die Sesselbeine sind am unteren Ende aus Aluminium, vordere Beine stehen zusätzlich auf Rollen. Bezug : komplett abziehbar.

Gestell: Buche, Kirschbaum oder Buche in Wenge gebeizt.

Selected Delta Adi-Fad 1999

Malena est un fauteuil accueillant, aux lignes epurées. Sa structure est en bois massif de hêtre et l'assise et le dossier sont entièrement déhoussables.

Malena est montée sur pieds en aluminium avec des roulettes à l'avant.

Finition structure : hêtre, mérisier ou wengé. Tissu ou cuir.

Selected Delta Adi-Fad 1999

sofa   malena
designer   jon gasca
year   2002

Sofá en línea con la butaca Malena. Este sófa es de líneas sencillas y acogedoras. La estructura es de haya maciza y el asiento y respaldo son completamente desenfundables. Acabada en haya natural, tono cerezo o wenge. Sus patas son fijas.

Simplicity and comfort characterise the Malena armchair. The frame is made of solid beech, with completely removable seat and back covers. Malena has aluminium legs with castors at the front. The beech frame is also available in cherry or wenge stained finish.

table   deneb
designer   jesús gasca
year   1987

Arquetipo de un minimalismo tranquilo, la mesa
Deneb celebra sus materiales en la forma más pura,
combinando una estructura sobria y austera con el
sobre de vidrio. La estructura de aluminio anodizado
se ensambla a partir de cuatro elementos realizados
con una gran precisión que se engarzan para
abrazar el vidrio templado. Las patas están dis-
eñadas para aumentar la estabilidad de la estructura y para permitir poner dos o más mesas juntas,
bien en un comedor o en un área de trabajo.

La personalidad de la mesa Deneb y la elegancia
formal que proyecta, permiten realizar la decoración
de un espacio a su alrededor. El sobre es de vidrio
templado de 10mm transparente o acabado hielo
seco. Existe tanto en la versión de mesa alta como
en la de mesa baja.

An archetype of cool minimalism, the Deneb table celebrates materials in their purest form, combining an austere and sober aluminium frame with a clean-edged glass top. The anodised aluminium frame is assembled from four elements precision-engineered to fit seamlessly together in support of the tempered glass top. Its legs are configured to increase the stability of the frame and to allow two or more tables to be put together to create a unified ensemble for dining or working.

Projecting an image of formal elegance, the Deneb table is a stunning signature piece that you can build a room or office around. The glass can have a transparent or frosted finish. Both standard and coffee table versions are available.

Reine, einfache Linien formen diesen Tisch mit Aluminium-Gestell, der sowohl in hoher als auch niedriger Ausführung hergestellt wird. Der Unterbau ist in vier Teile zerlegbar, die Tischplatte aus gehärtetem Glas.

Gestell: aluminium anodziert.

Glas : Klarglas oder gefrostet 10mm.

Ses lignes pures et sobres caractérisent cette table à structure d'aluminium.

Elle se fait aussi bien en version haute qu'en table basse.

La base est démontable en quatre pièces et le dessus est en verre trempé de 10mm.

Finition structure aluminium anodisé.
Finition verre transparent ou verre sablé.

table   zero
designer   jesús gasca
year   1995

Mesa redonda o cuadrada, con una pata central
en aluminio y base de acero mate. Un diseño
sencillo con vocación de ser discreto y funcional.

Existe la posibilidad de tener el sobre de fibra
chapada en haya, cerezo, color wenge o lacada
en blanco. La columna central es de aluminio
anodizado de 10 cm de diámetro y el pie de
acero cromado mate.

Hay un suplemento para la mesa que la hace
apta para tener sobre de vidrio.

Dimensiones normalizadas :
redondas : 60, 70, 90, 110, 120 cm.

Zero is a round or square table of restrained and elegant, but also functional design.

The stem is made of anodised aluminium and the base of chromed steel. The top can be produced in beech, maple, cherry or lacquered in white.

The Zero base can be adapted to take a glass top.

Standard sizes :
round : 60, 70, 90, 110, 120 cm.

Runder oder viereckiger Tisch mit Mittelfuß aus Aluminium und Stahlgrundplatte; ein einfacher Entwurf, der diskret und funktionell sein möchte.

Tischplatte : möglich aus verschiedenen Materialien, u.a. aus Kirschbaum, Buche, Buche in Wenge gebeizt oder weiß lackiert.

Standardgrößen rund Durchmesser: 60cm, 70cm, 90cm, 110cm ,120cm.

Table ronde ou carrée avec pied central en aluminium et base d'acier. Un design simple dont la vocation est d'être discret et fonctionel.

Possibilité d'avoir le plateau en différents matériaux notamment avec une finition mérisier, hêtre, couleur wengé ou laque blanche.

Dimensions :
redondas : 60, 70, 90, 110, 120 cm.

table   milano
designer   jesús gasca
year   1996

Milano es una mesa que rinde homenaje a la forma tradicional de trabajar la madera, con materiales y tecnología de vanguardia.

Una elegante Cola de Milano de aluminio sirve de unión entre el sobre y las patas de la mesa. Un toque de aluminio que combina y enriquece la belleza de la madera.

El sobre es de vidrio templado de 10mm y añade una gran ligereza a esta sólida mesa. El vidrio puede ser tanto transparente como acabado hielo seco. El sobre de la mesa también puede ser de la madera de la estructura. Estructura acabada haya, cerezo o wenge.

Milano is a table design that salutes traditional methods of working with wood, whilst harmoniously addressing contemporary materials and technology.

An elegant Cola de Milano forms the junction between leg and table top - an exquisite aluminium detail that enhances the beauty of wood.

A tempered 10mm glass top adds lightness to this solid table, the glass can be transparent or frosted. The top can also be done in the wood of the frame. The finishes available for the frame are cherry, beech or wenge.

Der Tisch Milano ist durch traditionelle Holzbearbeitung auf dem letzten Stand der Technik. Zusätzlich dezent verwendetes Aluminium gibt dem Holz Schönheit. Ein eleganter "Schwalbenschwanz" aus Aluminium dient als Verbindungsteil zwischen der Tischplatte und den Tischbeinen.

Die 10 mm starke Tischplatte aus gehärtetem Glas verleiht diesem solide verarbeiteten Tisch Leichtigkeit. Die Tischplatte kann auch Holzplatte sein.

Material: Buche, Kirschbaum oder wengefarben.

Milano est une table qui rend hommage au travail traditîonel du bois, avec des matériaux et une technolgie d'avant-garde. Une élégante queue d'aronde en aluminium sert de jonction entre les pieds et le plateau de la table. Une touche d'aluminium qui se combine et enrichie la beauté du bois.

Le dessus en verre trempé de 10mm ajoute une grande légereté à cette table robuste. Finition verre transparent ou verre sablé. Top on bois disponible. Finition structure hêtre, mérisier, ou couleur wéngé.

table   summa
designer jon gasca
year   1993

Pequeña mesa auxiliar, compuesta por un
taburete de tijera y bandeja superior redonda.
Utilidades : mesa, pouff, taburete, bandeja,...

Realizada en madera maciza, aluminio
anodizado mate y loneta de algodón. Los
acabados disponibles son :
haya, cerezo, wenge y lacado en blanco.

A single refined product, made of a folding stool and a round tray, which cleverly combines several functions :
occasional chair, table, tray or pouf.

The table is made of wood, anodized aluminium and cotton. Summa can be finished in beech, cherry, wenge or laquered in white.

Ein kleiner Beistelltisch, bestehend aus Klappstuhl und rundem Tablett.
Seine Verwendbarkeit: Tisch, Hocker, Klappstuhl und Tablett in einem Möbelstück.

Material: Holz aus Kirschbaum, Buche, Buche wengefarben oder weiß lackiert in Verbindung mit eloxiertem Aluminium und Segeltuch.

Petite table d'appoint composée d'une structure pliante et d'un plateau rond.
Toutes ses fonctions : table basse, pouf, tabouret, plateau.

Realisée en bois, aluminium anodisé et toile. Finition hêtre, mérisier, wengé ou laque blanche.

storage   atlas
designer   jesús gasca
year   1992

Container de cajones realizado en aluminio
anodizado. Por su gran sobriedad transmite
toda la belleza y la nobleza de sus materiales.
Un diseño discreto para toda la vida.

Por su modulación se puede adaptar para
infinidad de funciones : aparador, mesilla de
noche, cajonera para mesa, etc.

Exterior realizado en aluminio con laterales en
madera de cerezo, haya, wenge o color
aluminio.

Los exclusivos cajones son de aluminio con
sistema anti polvo.

Selección Adi-Fad 1993

The Atlas range of storage units are made from anodised aluminium, with sides of wood. Their function is clearly articulated both in the honest use of materials and in their restrained and elegant design.

Atlas is a product which can be adapted to a variety of uses, including discreet storage cabinet, bedside table, desk pedestal.

The unique aluminium drawers are fitted with an anti-dust gliding system. The sides can be finished in wenge, cherry, beech or aluminium.

Selección Adi-Fad 1993

Schubfach-Container aus eloxiertem Aluminium. Wegen seiner grossen Einfachheit übermittelt er Klasse und Schönheit seiner Materialien. Ein diskreter Entwurf fürs ganze Leben. Wegen seiner Möglichkeiten der Zusammensetzung paBt er sich an viele Funktionen an : als Anrichte, Nachtschränkchen am Arbeitstisch usw.

Sein Äusscres vesteht aus Aluminium mit Seitenteilen aus Kirschbaum, Buche, Wenge oder Aluminium farbe. Die exclusiven Schubladen sind aus Aluminium und mit AntiStaubsystem versehen.

Ensemble container avec tiroirs réalisés en aluminium anodisé. Grâce a sa grande sobriété il transmet toute la beauté et la noblesse de ses matériaux. Un design discret pour la vie entière.

Grace à sa forme il peut être adapté à une infinité de fonctions : buffet, table de nuit, classeur pour table de travail.

Extérieur réalisé en aluminium avec les cotés plaqués mérisier, hêtre, finition wengé ou finition aluminium. Les tiroirs sont en aluminium avec système anti poussière.

storage   sapporo
designer   jesús gasca
year   1998

Sapporo es un sencillo y versátil sistema. Se
trata de un módulo individual que se puede
componer, apilándolo desde 1 hasta 6 alturas.
El módulo Sapporo va apoyado sobre una base
de acero fija o de ruedas (las ruedas solo
hasta dos alturas).

En cada balda lleva una guía de aluminio para
las puertas correderas de cristal. Las puertas
de cristal templado pueden ser transparentes,
acabado hielo seco o de plexiglas rojo.

El mueble siempre es acabado en color blanco,
como las nieves de la ciudad japonesa de
Sapporo con una anchura de 120cm.

Ancho = 120 cm, profundidad = 35 cm

1 módulo	altura 54 cm
2 módulos	altura 92 cm
3 módulos	altura 130 cm
4 módulos	altura 168 cm
5 módulos	altura 206 cm
6 módulos	altura 244 cm

anchura interior útil	114 cm
altura interior útil	35 cm
profundidad útil	31 cm

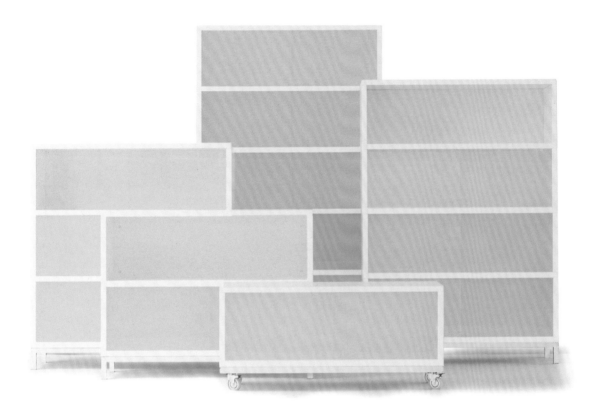

Sapporo is a refined and versatile storage system. It can be used as an individual element, or can be stacked up to six units high. The units sit on a steel base, which can be either fixed or on castors (castors only until 2 units high).

The tempered glass sliding doors are available in a transparent or frosted finish, also red plastic doors. The glass doors can be added or removed from the unit without altering the structure.

Sapporo is always finished in white, like the snows of Sapporo in Japan, and it is made in a standard width of 120cm.

Width = 120 cm, depth = 35 cm

1 unit	heigh 54 cm
2 units	heigh 92 cm
3 units	heigh 130 cm
4 units	heigh 168 cm
5 units	heigh 206 cm
6 units	heigh 244 cm

inside width	114 cm
inside heigh	35 cm
inside depth	31 cm

Dieses Regal ist ein einfach aufzubauendes Mehrzwecksystem aus Einzelmodulen, stapelbar von einer bis zu sechs Höhen. Die Module können durch ihre stabile Rückwand auch wechselseitig übereinandergebaut werden, so dass ein Raumtrenner für beidseitige Verwendung entsteht.

Es ruht auf einer stabilen Stahlbasis, die alternativ mit Rädern versehen sein kann (bis zu 2 Höhen). Die Regale können mit Schiebetüren ausgestattet werden aus durchsichtigem oder gesäuertem Glas.

Width = 120 cm, depth = 35 cm

1 unit	heigh 54 cm
2 units	heigh 92 cm
3 units	heigh 130 cm
4 units	heigh 168 cm
5 units	heigh 206 cm
6 units	heigh 244 cm

inside width	114 cm
inside heigh	35 cm
inside depth	31 cm

Sapporo est un système simple et modulable. Il s'agit d'un module individuel que l'on peut assembler en empilant jusqu'a 6 élements. Le module Sapporo est monté sur une base en acier fixe ou sur roulettes.
(roulettes pour maximum 2 unités)

On peut y adapter des portes coulissantes en verre transparent ou translucide, ou plastic rouge.

Dimension : 120 cm.
Colour : blanche.

Width = 120 cm, depth = 35 cm

1 unit	heigh 54 cm
2 units	heigh 92 cm
3 units	heigh 130 cm
4 units	heigh 168 cm
5 units	heigh 206 cm
6 units	heigh 244 cm

inside width	114 cm
inside heigh	35 cm
inside depth	31 cm

outdoor   deneb
designer   jesús gasca
year   2003

Basada en la mesa Deneb y con la misma estructura, se presenta la colección de exterior de Deneb. Se trata de una mesa y banco a juego con sobre de madera de Iroko maciza. Este conjunto sigue la línea de diseño de Stua, ya que es un sistema sencillo, intemporal y con un punto de calidez que lo hace próximo y agradable al uso. El sistema de exterior Deneb también puede ser usado en el interior, tanto la mesa como el banco.

The Deneb outdoor system is derived from the Deneb table. The system is comprised of a table and matching bench. The same base is used for both and they each have an Iroko solid wooden top.

The principles of Stua are embodied in this system, simplicity, timelessness and warmth. The Deneb system is suitable for indoor and outdoor use.

Tamaño mesa	Banco
90 x 180 x 73 cm	40 x 160 x 44 cm
90 x 160 x 73 cm	40 x 140 x 44 cm

Size of table	Bench
90 x 180 x 73 cm	40 x 160 x 44 cm
90 x 160 x 73 cm	40 x 140 x 44 cm

dimensiones / sizes

STUA 210

EGOA

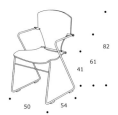

82
61
41
50   54

EGOA RUEDAS / EGOA WITH WHEELS

93
80
73
53   60
40
59

GLOBUS

45   83
55   47

GAS

78,5
44
50   48

GAS BRAZOS / GAS WITH ARMS

56
44,5
78,5   64
48

MALENA

70
63   78

SOFA, L= 180 cm

DENEB

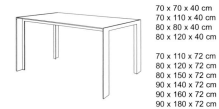

70 x 70 x 40 cm
70 x 110 x 40 cm
80 x 80 x 40 cm
80 x 120 x 40 cm

70 x 110 x 72 cm
80 x 120 x 72 cm
80 x 150 x 72 cm
90 x 140 x 72 cm
90 x 160 x 72 cm
90 x 180 x 72 cm

MILANO

80 x 78 x 40 cm
80 x 118 x 40 cm
90 x 158 x 40 cm
100 x 188 x 40 cm

80 x 78 x 73 cm
80 x 118 x 73 cm
90 x 158 x 73 cm
100 x 188 x 73 cm

ZERO

mesas / tables
Ø 60 cm
Ø 70 cm
Ø 90 cm
Ø 110 cm
Ø 120 cm

bases
Ø 35 cm
Ø 45 cm
Ø 55 cm

SUMMA

40
42
42   50
54

SAPPORO

 35
244
120

 35
206
120

35
168
120

35
130
120

35
92
120

35
54
120

ATLAS

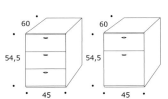

60
54,5   45

60
54,5   45

45
39   40

45
54,5   40

45
70,5   40

45
39   60

45
54,5   60

45
70,5   60

acabados / finishes

EGOA   maderas disponibles / available veneers :

| fresno blanco white ash | haya beech | arce maple | roble oak | fresno ash | cerezo cherry | wenge wenge | fresno negro black ash |

EGOA   telas disponibles de Kvadrat / available fabrics from the Kvadrat range :

| T 511 | T 514 | T 513 | T 519 | T 515 | T 516 | T 517 | T 518 |

EGOA   pieles disponibles / available leather colours :

| piel piedra stone leather T 580 | piel marrón brown leather T 581 | piel negra black leather T 582 |

GLOBUS   maderas disponibles / available veneers :

| fresno blanco white ash | haya beech | arce beech | roble oak | cerezo cherry | wenge wenge | fresno negro black ash |

GLOBUS   colores lacados sobre fresno / laquered colours on ash :

| 511 | 514 | 513 | 510 | 515 | 516 | 517 | 518 |

GLOBUS   colores versión de polipropileno / colours for the polypropylen :

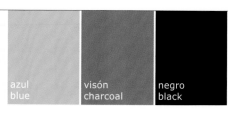

| blanco white | azul blue | visón charcoal | negro black |

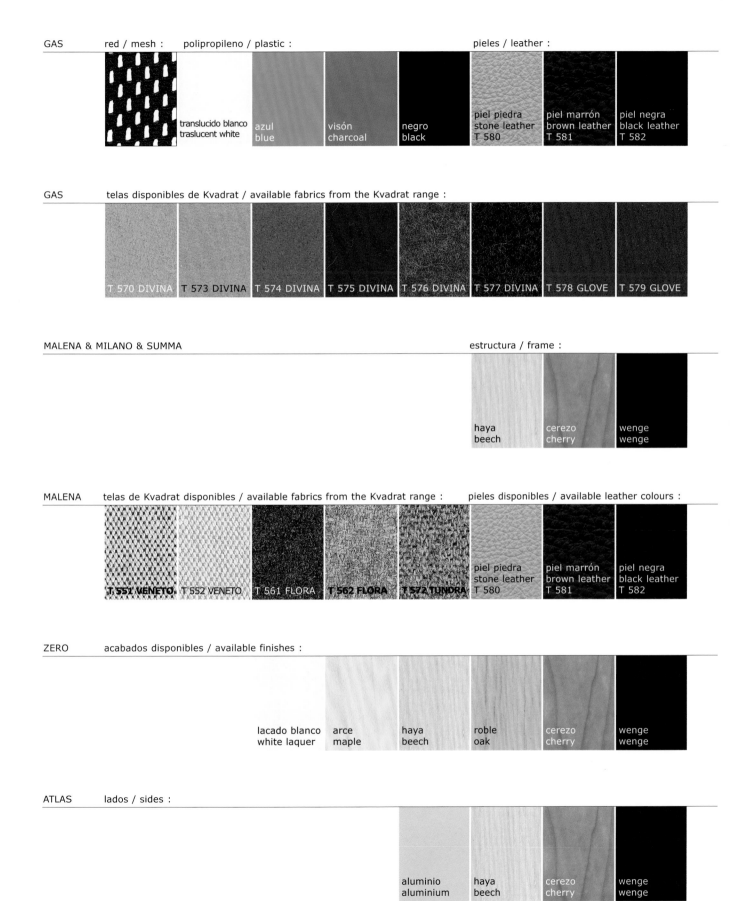

GAS   red / mesh :   polipropileno / plastic :   pieles / leather :

translucido blanco
traslucent white

azul
blue

visón
charcoal

negro
black

piel piedra
stone leather
T 580

piel marrón
brown leather
T 581

piel negra
black leather
T 582

GAS   telas disponibles de Kvadrat / available fabrics from the Kvadrat range :

T 570 DIVINA | T 573 DIVINA | T 574 DIVINA | T 575 DIVINA | T 576 DIVINA | T 577 DIVINA | T 578 GLOVE | T 579 GLOVE

MALENA & MILANO & SUMMA   estructura / frame :

haya
beech

cerezo
cherry

wenge
wenge

MALENA   telas de Kvadrat disponibles / available fabrics from the Kvadrat range :   pieles disponibles / available leather colours :

T 551 VENETO | T 552 VENETO | T 561 FLORA | T 562 FLORA | T 572 TUNDRA

piel piedra
stone leather
T 580

piel marrón
brown leather
T 581

piel negra
black leather
T 582

ZERO   acabados disponibles / available finishes :

lacado blanco
white laquer

arce
maple

haya
beech

roble
oak

cerezo
cherry

wenge
wenge

ATLAS   lados / sides :

aluminio
aluminium

haya
beech

cerezo
cherry

wenge
wenge

STUA

polígono 26
E 20115 Astigarraga
Spain

tel : + 34 943 330 188
fax : + 34 943 556 002

web : www.stua.com
email : stua@stua.com